寄生獸

기생수

3
contents 애장판

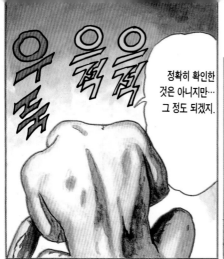

정확히 확인한
것은 아니지만…
그 정도 되겠지.

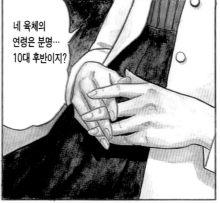

네 육체의
연령은 분명…
10대 후반이지?

그 소년을
죽이지 말고,
관찰해 주기
바란다.

그러면 역시
네게 부탁해야겠다.

다소 위험한
존재이긴 하나…
장래 우리의 가능성을
점치기 위해서도
귀중한 자료다.

있다.

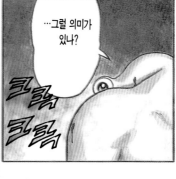

…그럴 의미가
있나?

여-.

아, 잘 잤니?

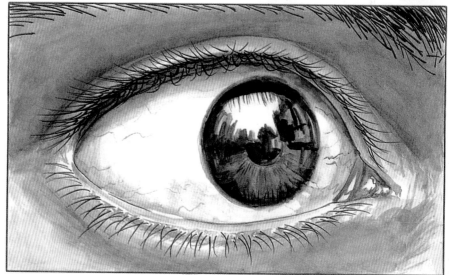

눈물이…!

마음이
문제인가…

먼지라도
들어갔나 봐?

엄살은….

그래….
먼지가 눈에
들어간 거야.

먼지가 들어갔을 때는
이렇게 금세
눈물이 나는데….

오른쪽이의 세포가
온몸에 퍼져 있다고 해서
딱히 몸이
이상해진 것은 아니다….
오히려…

그래,
몸쪽은
아무렇지도
않다.

예를 들면
청각ㅡ.

전에 없이 온몸에
힘이 넘치는
기분이 들고,
감각도 예민해졌다.

주위의 소리에
정신을
집중하면….

그럼요—.
제가 얼마나
놀랐다구요—.

어머,
세상에….
사카모토 씨네
아들이요?

시꺼—.
회사 같은 거
하루쯤 쉬면 어때?
응? 응?

그만 해, 이제….
나 회사 가야 한단 말야.
자기도 학교에나 가.

개새끼!
개 같은 자식들!
개새끼 개새끼
개새끼 개새끼….

계속해서 교통정보를
알려드립니다.
수도 고속도로
사고의 여파로
현재 10km 구간이
정체 현상을—.

두근
두근
두근
두근

！

왜 그래?

하하, 아냐,
그냥….

게다가
인간의 소리도
아니었다.

아주 가녀리고
작은 소리….

들렸어….

지금….

이러다
학교 늦겠어!

이번엔
또 뭐야ㅡ.

신이치…?

뭐?

......

미안, 먼저 가.

그 소리는 분명 도움을 청하고 있었는데…

부르고 있어… 인간의 말은 아니지만 그래도 알아들을 수는 있어!

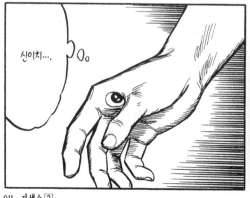

신이치….

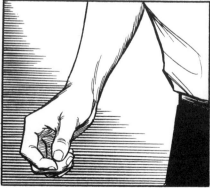

신이치.

분명히
이 근처에서
들린 것
같은데….

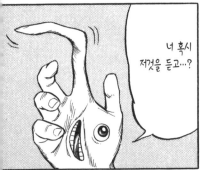

너 혹시
저것을 듣고…?

…….

응….
분명히
저걸 거야.

!

야!
임마아!!

괜찮아.
차에 치이지는
않을 테니.

무모한 짓은
하지 마라.

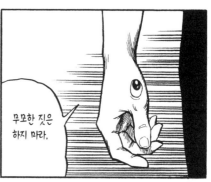

……

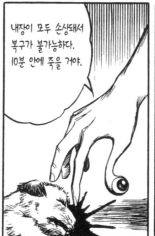

내장이 모두 손상돼서
복구가 불가능하다.
10분 안에 죽을 거야.

어때?
살 수
있겠어?

…이 녀석, 이제…
곧 죽을 거야.

신이치….

신이치가
변해버린 줄
알았거든….

신이치…
나 어쩐지
무서웠어.

응?

하지만 여행 갔다
돌아오고부터 좀…
차가워진 듯한
느낌이 들었어….

겁도 많아 보이고….
그래도 그 점이
귀여웠다고나
할까.

같이 있으면
편하고….

그러니까,
예전엔 더
얌전했잖아?

아….

죽었다….

하지만
기분 탓이었나 봐.
이렇게 다정한걸.

……

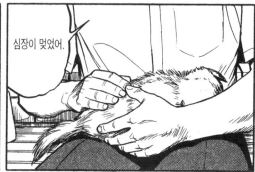

심장이 멎었어.

가자.
…이미
지각이지만.

왜?

시, 신이치?!

세상에 이럴 수가!
쓰레기통에 버리다니!!

이… 이게
무슨 짓이니?!

......

강아지가,
강아지가,
불쌍하다구!

그런 얘기가
아니야!!

…아아.
청소하는
사람이 보면
놀라겠구나.

아무리 그래도….

불쌍하다니….
벌써 죽었는데?

이미 죽었어.
…죽은 개는
개가 아니야.

개 모양을 한
고깃덩이일
뿐이지.

달라.

…달라.

옛날의 신이치라면 그런….

역시 달라….

사토미….

어…. 사토미!

PUSH

다르다고?

그래…
분명히 내가
잘못된 걸 거야.

다르다…
내가
변했다고…?

왜?

오른쪽…
오른쪽아!

……

알겠으면
좀 가르쳐 줘.

내가…
방금 사토미한테
한 말 중에…
어디가
잘못된 건지….

듣고
있었지?

단,
예전의 너와는
많은 차이가 있어.
인간치고는
감정의 전환이
너무 빠르다.

너는 하나도
틀린 말 하지 않았어.
...내 관점에서 보면.

!

차라리 내가
쓸 법한
표현이야.

「개 모양을 한
고깃덩이」라는
말은...

...그래.

후... 후후.
그렇군.

......
......

알았어.
고맙다,
오른쪽아.

어.

우앗.

미안하지만
그 삽 좀
빌려 줄래?

으익~.
징그러워~.

꼬마야.

아… 그래.

멍멍이, 묻어 주는 거야?

......

이제 됐다.

묘비
말인가…?

?

저기…
산소 안 만들어?

개의 몸은
분해되어
양분으로 변하고…
이 나무에 흡수되겠지.

이 나무가
묘비를
대신해 줄 거야..

으응.

……

짹짹
짹짹

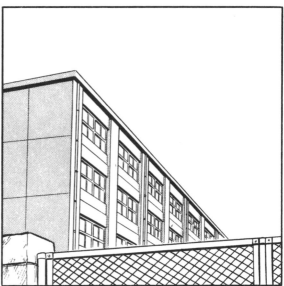

......
......

오늘은
안되겠다.

조금 더
있다가
얘기해
봐야지.

후다닥

아… 사토….

왜 그래? 신이치.

!

지금
이 학교 안으로
「동족」이
들어왔다.

오른쪽이 녀석이
농담 같은 걸
한 적은 없어!

그래!

야야!
그거...
농담이냐?

내가
지금까지....

뻘
떡

설마 「타미야 료코」가 돌아온 건…?

어디? 어디야?

저쪽 맞은편 건물이다. 여기서는 안 보여.

아니… 확실하진 않지만 아무래도 다른 개체 같다.

그럼, 우다 아저씨?

사람이 없는 곳으로 유인해서 해치우자!

역시 싸워야 할까?

…일 리가 없지….

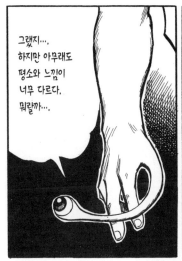

그랬지…, 하지만 아무래도 평소와 느낌이 너무 다르다. 뭐랄까….

그건 우리가 적이라는 걸 아직 모르기 때문이잖아! 선수를 치는 게 살 길이라고 전에 너도 말했었고.

기다려, 신이치. 당연히 상대측에서도 우리를 느끼고 있지만… 전의가 전혀 느껴지지 않는다.

진정하고 좀더 평화적으로 생각해 봐.

뭐어?!

뭔데?!

너한테 그런 소리를 들으니 어째 나 자신이 엄청 싫어지는구나….

……

만나?!
인류의 적과?!

하지만
꼭 우리의
적이라는
법은 없어.

우선 사람들이
많은 곳에서
만나 보자.

그래서
어쩌란
거야?

나는 아무래도
그 상대가 타끼야 료코형—
즉 「말해보면 알 만한
타입」일 것 같아서
아주 궁금해.

말해보면
알 만해…?

뭔 소린지

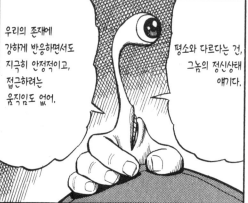

우리의 존재에
강하게 반응하면서도
지극히 안정적이고,
접근하려는
움직임도 없어.

평소와 다르다는 건,
그놈의 정신상태
얘기다.

나도 이젠
몰라….

앞으로
약 30미터…,
저 교실인 것
같군.

별 놈 다 있지?
3학년 2학기에
전학을 오다니.

3학년
2반
이라…

3 - 2

전학생…?

난 그 자식 얼굴이
맘에 안 들어.

!

으흠?
...듣던 것과는
인상이 다른걸?

훨씬
강해 보여.

뭣하러
나타난
거야!!

왜
학교에
....

방해하지 마,
...넌.

......

으헉.

최근에 정해진
내 이름이지.

시마다 히데오.

100미터 달리기
타임 체크ㅡ.

우 와ㅡ

10초…8.

스포츠는
좋은 거야.

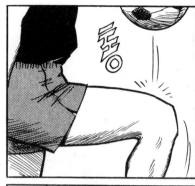

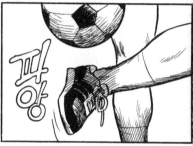

......
......

운동을 하면 할수록
온몸을 다루기가
수월해지거든.

우리를 방심하게 만든 다음 처치하려는 것 아냐?

...빙빙 돌리지 마시지.

혹시 오른손께서도 그리 생각하시나?

너는 오해하고 있어.

똥 똥

척

타미야 료코?

나를 없애라고 「타미야 료코」가 시킨 것 아냐?

......

하지만
그런 것 때문은
아니야.

그 여자한테서
네 얘기를
들은 것은
사실이야.

아아… 지금은
다른 이름을
쓰고 있지만…

그렇기는커녕
최근 나는
인간에게
손도 대지
않고 있다구.

몇 번이나 말하지만,
나는 싸우러 온 게 아니야.
이 학교는 물론
네 주위사람한테도
일절 해를 입힐 생각은 없어.

기생생물이 인간을
죽이지 않고 살아갈 수
있다면, 문제는
해결되는 게 아닌가?

……
……

뭐…?

보통 음식물….
인간과 같은
식사를 하고 있지.
실험을 하고 있다는
얘기야.

우리는 지금,
인간 사회에서
인간들과 함께
살아가는 방법을
모색하는 중이야.

어… 어떻게
믿어!

……

우리 기생생물과
인간 사이에 있는
너희들도
염두에 뒀으면 한다.

그것을…

그래도…
반 이상 믿기는
어렵다.

네 말은 하나하나
흥미가 동하는
것들뿐이다.

재미있군.

뭐야?

어?
왜 그래,
갑자기…

가자,
신이치.

어찌 됐건 괜한 싸움은
나도 바라지 않는다.
오늘은 이만 물러가겠다.

?

아…!
동면시간…!

신이치!
졸려!

갑자기 왜 그러냐니까!
저놈이 거짓말을
한다 쳐도
얘기하다 말고….

그렇지…
제길!

약 네 시간…,
이 약점이
놈에게 발각되면
어떻게 될지 몰라!

아… 신이치다.

저놈의 패거리는 얼마나 될까?

어떡하면 좋지…?

만약 저놈이 정말로 인간과의 공존을 생각하고 있다면… 싸움은 곤란하다.

그래도… 제법 괜찮은 해결책인데…?

그 「타미야 료코」와 한패라면 만만히 볼 수 없어.

그래….

아무리 지능이 높아도 마음은 곤충 수준이라구!

아냐! 믿을 수 없어! 저놈들은 잔인해.

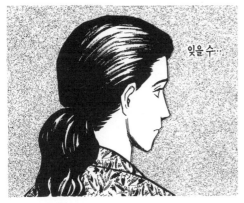

잇을 수...

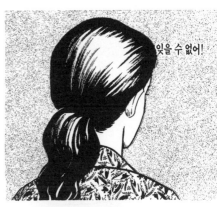

잇을 수 없어!

자박...

언젠가
그 괴물의 껍데기를
벗기고 말겠어!

쿡....

반드시!!

사···
사토미···

아···.

으… 아냐.

아, 아까는 그….

도망갈 것까진 없는데….

저기….

그럼… 또 봐….

잉?

잉~. 사토미를 겁나게 해서 어쩌자는 거야~.

갑자기 눈을 부라려서 그런가…. 하지만 도망칠 정도로 무서운 얼굴이었을까?

후후,
내게는….

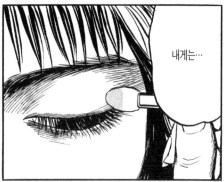

내게는…

초능력이 있어!

「운명의 상대」를
느끼는 힘?

게다가 이건…

......

푸후훗.

장난이 아닌걸ㅡ.
하하하ㅡ.

그런 게
아닐까?

그래,
왔어….

저벅

저벅

저벅 저벅

......
......

이런 능력은
그 애한테도
없을 거야…

그건 그렇고,
내 쪽에서만 느껴지고
쟤 쪽에서는
아무 느낌도 없나?

저벅
저벅

한 번 억지로
끼어들어
볼까나…?

뚝

안녀엉—!!

어, 어라?!

?!

ㅇㅇ

……
……

이상하다.
감각이
둔해졌나….

뭐지?

미, 미안해요.
사람을 잘못….

잠깐만, 너…
어떻게
된 일이지?

뭐?

난 또 신이치라는
애인 줄만 알고….

신이치?!

이상하군….
나와 신이치의 어디가
닮았다는 거지?

사람을
잘못 봤다는 건…
얼굴이 닮았거나
뒷모습이 비슷할 때
일어나는 일일 텐데?

아니…
그래서
미안하다…
니까.

……

!

저 목소리는
분명….

이거 놔!
이게 무슨
짓이야!

잠시 이야기 좀 하자는 것뿐이야.

야! 너, 까불면 죽어!!

질질질

짝

쳇.

우아아아! 살려줘~!!

아.

횡

이봐!

메롱~.

......

쟤가 지금 있지!
나한테 끔찍한 짓을
하려고 했어!

이야기를 좀
하려던 것뿐이야.
…그 애는 감각이 좀
예민한 것 같아서….

이… 이러고도
너를 믿으란
얘기야?

알고 있어….
하지만, 몇 번이나 말하지만
너와 싸울 마음은 없어.

…….

후….
무섭군.

눈매도
기분 나쁘고…

재 뭐야?
이상한 애네.

대단한데?
너, 사실은
싸움 잘하는 것
아냐?

기분 탓인가…

저 오른손의
반응이 이상하게
약한데…

너만큼은
아니야.

아… 재는!

그래….
그러지
뭐.

아….
역까지 데려다 줘!
아까 걔가 또
따라오면
어떡해?

아….

…….
…….

왜 그래?

으아~.
최악이다!

하지만 아까는
좀 둔해졌나봐.
그런 이상한 놈하고
헷갈리다니….

그래….
가까이 있으면
알 수 있어….
하지만 왜 하필이면
너 같은 애한테….
그치?

텔레파시…?

그래도 바로 뒤에
네가 달려왔으니
크게 착각한 건
아닐지도 몰라.

정말이라니까!

……

…….

제길!
어떻게
설명하면 좋지?

뭐?

그런…

그런 건
좋지 않을 것
같은데….

그럼 너도 위험한 놈이라는 거야?

...헤에.

위험한 놈들···, 아까 그놈처럼 이상한 놈들이 내는 무슨··· 전파 같은 거야. 분명히!

그러니까! 네가 느끼는 그 뭔가란···

아아~. 완전히 횡설수설이네.

그··· 그래! 나도 그런···.

그러니까 그런 놈들한테는 가까이 가지 않는 게 좋아!

......

와하하하하하!
웃긴다~.
히히히 하하하하하하.

푸… 하하하하.

…….
…….

후후…
후후후후후.

또 보자구!

오늘은
이 얼굴로
낚아 볼까….

비쩍 마른데다
이상한
약품 냄새도
난다.

여러 가지
불순물이
몸에 축적돼
있군…

이봐요….
종일 거기 서서
뭐해요?
누구 기다려요?

어머?
어디서 많이
본 얼굴이네?

……
…….

어머나!

비켜.

시골에서
건강하게 자란
암컷이군….

피부의
윤기도 좋고…,
영양상태도
좋아 보인다.
잔류 유해물질도
없는 것 같다.

괜찮다면
내가 안내해
줄게요.

아…
저기 전….

아가씨….
길을 잃었나요?

이…

……

제19화 —끝—

아….

왜 그러나….

…컴컴한 방에서
혼자 마시고 있으면
괜히 우울해지지 않아요?

곧 잘 텐데 뭘….

안녕히
주무세요.

…….

언제 그렇게
강해졌니?

모르는
사이에
너…

신이치.

…….

혹시 너….
강철로 돼 있는 건
아니냐…?

…예?

미안하다.

시마다 그 놈은 표면적으로는 극히 조용해….

그 카나라는 여자 애가.

그보다 그 애가 문제야!

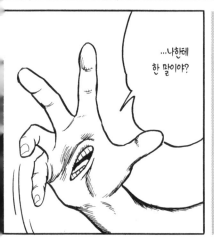

…나한테 한 말이야?

기생생물의 접근을 감지할 수 있다는 것은 대단한 능력이지만… 이대로는 위험하겠지?

그런 게 아니라,
그 애가 위험하지 않겠냐구.
사정도 모른 채
괴물하고
접촉하기라도 하면….

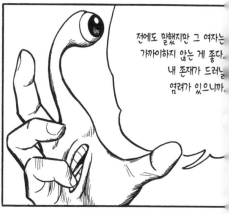

전에도 말했지만 그 여자는
가까이하지 않는 게 좋다.
내 존재가 드러날
염려가 있으니까.

흠―.
어떻게든
기생생물에 대해
설명할 수 없을까….

게다가 괴…
우리 기생생물 쪽에서는
그 여자를 감지할 수 없으니
특별히 위험하다고
볼 수는….

네가
걱정해 봐야
소용 없어.

으이그,
인정머리
하고는.

우리만
의심받을 거야.

안 돼,
안 돼.

…….
…….

…난 정 같은 건
없어.

푸하하하!
「아귀머리 귀신」이다!

크아~.
「아귀머리
귀신」이다!

지금 집에
손님들이
와 계세요.

손님요?

그래요.
세 분이….

아, 이제 와요?

가정부,
가와이 스미에.

그럼 난 이만
가볼게요…

수고하셨어요,
아줌마.

……
……

역시 공표는
불가능하겠습니까…

그것이 가장
큰 문제입니다.
이즈미 씨.

저희가 가장
염려하는 것은 혼란…
인간들끼리
불신하게 될 수
있다는 겁니다.

과거의 역사를
돌이켜 보십시오.
차별의식이나
공포심이 낳은 유언비어,
집단적 광기….

제 아들,
신이치입니다.

아…
안녕하세요.

뭘요.

아드님이 참
명민해
보이는군요.

지금 공표한들
나아지는 것은
없을 겁니다.

아직 저희로서는
그놈들을
분간해 낼 방법이
없습니다.

…아무튼,

예…

부인께 일어난 일은
대단히 유감으로 생각합니다.
…그러나 현 상황에서는…

맹수가 풀려나
있는 정도의
문제일 뿐입니다.

전국적으로 수 천,
또는 그 이하의…

저…
이번 것은
어떻습니까?

!!

그러나 이대로
둘 수는….

물론이죠!

89年

인면견과 그 인면동물 시리즈

에ㅡ. 저런 것도 있었죠.

78年

입 찢어진 여자

정겹군요.

그리고 지금

숯게게의

「야귀머리 귀신」!!

「야귀머리 귀신」을 찾아서!!

나왔다!

그게 대체
뭡니까?

나왔습니다!

뉴스페이스
「아귀머리 귀신」
을 찾아서!!

사실 이 소문의
발생지가 아무래도
한 곳이
아닌 것 같아요.

뭐요?
귀신이요?

어머, 모르세요?
요즘 장안의 제일
큰 화젯거리가
이 「아귀머리 귀신」인데.

슬쩍 알아본 것만도
동경, 가나가와,
오사카 등 6개 지방으로
흩어져 있더군요.

허어,
그러면요?

「아귀머리 귀신」하면
척 아셔야죠?
머리가 온통
입이라니까요!

아까부터 듣자니
영 모르겠는데…
요괴 같은
겁니까?

그래서 뭐란
말입니까?

그 있잖아요?
머리 뒤에 입이
또 하나 있더라는….

……

아아,
나도 그런
귀신 이야기를
들은 적이 있죠.

이번 「아귀머리 귀신」은
더 화끈하게,
온 머리가
입으로 돼 있답니다!!

쪽
쪽

그 정도는
약과예요.

그림으로 그리면 이런 느낌일까요?

척

눈이나 코는 장식일뿐이죠!

무슨 세서미 스트리트인가?

으히야···. 이건 뭐 미적 센스고 뭐고 없는 놈일세.

어머, 그런 걸로 치면 「입 찢어진 여자」는 어떻고요?

하지만 거, 「아귀머리 귀신」이란 이름을 좀 딴 걸로 바꿀 수 없나?

작년에 널리 일어났던 「인간 도살 사건」과 연결지어 생각하는 사람들까지 나타나….

목격자들 중에는 상당히 진지하게 받아들인 사람도 있어서, 정말 경찰에 신고도 했다는군요.

후후…. 인간이란 것들은 정말….

히히히, 낭만이 부족하군요. 아마 옛날부터 전해진 요괴 이야기일 겁니다. 전 그렇게 생각해요.

……. …….)OO°

하지만 웃을 일이 아니야. 이렇게까지 소문이 퍼졌으니 진지하게 조사하려는 놈도 곧 나올 테지.

설마….

이미 상당부분
파악하고 있는 게
아닐까요?

아니….

우리가 얼마나
약하고…
불완전한
생물인지….

다 예상했던 일이에요.
우리가 계속 지금까지처럼
곤충 같은 포식만 되풀이하다가는
언젠가 추적당해 남김없이
박멸되고 말겠죠….

대체 무엇
때문에….

그렇게까지
생각하고 고뇌하는 건
당신뿐일 거야.

내 의문은 단 하나…
기생생물이 존재하는
의미예요.

간단한 것
아닌가?

지구에 있어서
인간이
「독소」가 된 거지.
그래서「중화제」가
필요해진 거고.

후….

나는「독소」를
몸안에 키우고
있는 셈인가….

「맹수」라….

어?
손님들은
돌아갔나요…?

신이치,
역시 너한테만은
말해 둬야겠다.

예?

!

설마….

이 일은 아직
세상에 공표할 수 없어.
그러니까 약속해 다오.
절대 남들에게
말하지 않겠다고…

예…

예…

알겠지?
친구들한테도
안 돼?!

역시 아까
그 사람들은…

드디어!

예…

하지만
믿어 다오!
아버지는
제정신이다.

너무 현실과
동떨어진 얘기라
믿어지지 않을지
몰라도…

아버지는 이야기를 시작했다. 그 내용은 대부분 신이치가 이미 알고 있는 것들이었다.

하지만 신이치는 잠자코 들었다. 오른손의 일이며 우다에 관해서는 일절 말하지 않고…

하나 남은 육친만은 가능한 한 이 「싸움」의 테두리 바깥쪽에 있기를 바랬다.

물론 말하지 말라는 오른쪽이의 주의 때문이기도 했다… 하지만 그보다,

아버지가 알고 있는 것은 극히 일부분이다. 그러나 신이치는 처음 듣는 것처럼 묵묵히 끄덕였다.

처음으로
분명히
신이치에게

─이야기를
마치면서
아버지는

어머니의
죽음을
알렸다─.

왜 저런
자식을….

쳇,
또 저 놈이네!

툭
윽

우앗.

!

카… 카나.

미츠오…

잠깐만 기다려.
그만두라구!

뭐야,
저 놈은 왜
날 째려 봐?

내가
누구랑 싸우든
내 맘이잖아!

시끄러!

서부고에는
왜 하나같이
재수없는 놈들
뿐이람….

네가 아냐.
저쪽에 있는
여자를
보고 있는 거지.

뭐….

야, 너 누굴
째려 보는 거야?

쟤가 정말….

할 말…?
나한테?

야….
잠깐 저기 좀
같이 갈래?
할 말이 있는데.

저 녀석도 미츠오한테
몇 대 맞고 나면
전처럼 나한테
수작부리지 않겠지, 뭐.

상관하지
말까….

빠
악

퍼
억

쿵

나 참.
할 말이
있다더니….

이 근방에서는 가급적
문제를 일으키고 싶지 않아서
봐준 거다….

죽인다.

앞으로 또
별 이유없이
나한테 싸움을 걸면,

괴… 괴물이야!

……

……

제20화 —끝—

─ 제21화 ─   관 찰

야노 형님…

여, 이거 미츠오 아냐?

……

그게 무슨 말버릇이야!

어찌된 거냐, 그 얼굴은?

…상관 마십쇼.

어… 또 나한테
볼일이 있나?

미츠오가 이런 놈한테 당했다고?

농담 아냐?

설마!

그래… 지난번의 답례다.

그래, 좋다.

나 원 참….

아무튼 보는 사람이 없는 곳으로 가자.

먼저 덤비는 데야 도리가 없지.

자신깨나 있으신 모양이군.

뭐야, 이놈? 말귀를 너무 잘 알아먹잖아?

어?
신이치,
넌 안 가나?

잘들 가라.

내일 보자.

응….

바보야,
공주님을
기다려야지.

신이치.

무슨 소리야.

또 뭐냐?
지금은 좀
냅둬라ㅡ.

요즘 사토미하고
좀 서먹해져서….
오늘은
무슨 일이 있어도
마음을 풀어 줘야….

공격대상의 수는 4~6명.

모두 인간인 듯하다...,

시마다가 지금 「살의」를 품고 있다.

뭐?

싸움이라고는 할 수 없지. ...일방적인 살육이니까.

무슨 일인데? 싸움 났어?

빨리 말해ㅡ!!

어쩔 거야? 막으러 가겠다면 방향과 거리를 가르쳐 주겠지만...,

나로서는 어떻게 되건 상관없지만, 말해 두지 않으면 나중에 네가 화낼 것 같아서.

이 너머다!

합!

!

?

지름길로 오다니…. 더구나 저 담장 반대편은 아래까지 3m는 될 텐데….

척

오른손이 뛰어넘게 해 줬나?

시마다! 이번에야말로, 정체를 드러냈구나!!

분명 그렇겠지. 인간의 다리힘으로 뛰어넘을 수 있는 높이가 아니야.

나하고?

그렇다면?
여기서
싸울 거냐?

정체…

뭐…

뭐야?
또 저 자식이
나서서…

이건 내가 먼저
시작한 게 아니야.

……

왜… 인간이
쓰는 말 중에
지렁이도 밟으면
꿈틀한다는
속담이 있지?

빨리 가! 뒤처리는 내가 알아서 할 테니…

가!

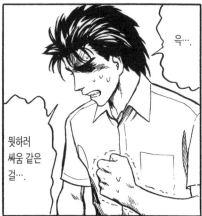

윽….

뭣하러 싸움 같은 걸….

그럼 그렇게 하지.

아, 그래?

뭐야, 넌…. 뒤처리는 알아서 하시겠다?

어이!

어, 야!

…친구?

똥폼 잡고 있네. 친구는 내가 지킨다 이거야?

뭐야?

너희들이 뭘 알겠어.

싸움하는 게 그렇게 재미있어?

너희들을 지켜준 거란 말이다…

이렇게 떼거리로 모여서… 일방적으로 두들겨 패줄 셈이었어?

뭐어?

뭐라고
주절대는 거냐?
저거!

하긴…
장난으로
하는 거라면
재미도 있겠지.

하지만 오늘은
아무도 재미없을
줄 알아.

그리고 아까 그놈은
두 번 다시
건드리지 마!

얌전히
돌아들 가!

너한테
하는 말이야.

저벅, 저벅

이 중에선
네가 리더 맞지?

!

어떻게…
첫눈에 보고
알았지…?

야노
형님…

으앗!

왜 그렇게
생각하지?

......

제일 세 보이고…

잘난듯이
폼잡고
있으니까.

후…

눈 하나는
좋으시군.

차라리 내가
지금 이놈들을
몽땅 때려눕혀
놓을까….

입으로 말해 봐야
이해 못해….

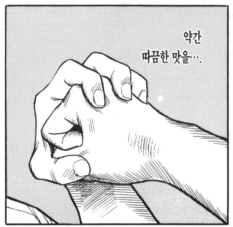

약간
따끔한 맛을….

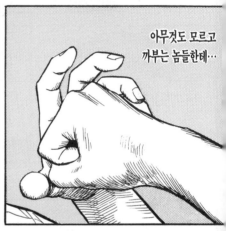

아무것도 모르고
까부는 놈들한테….

"……".

팟

헉!

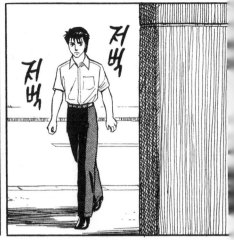

저벅
저벅

......

그 자식이
일은 벌여
가지고….

쳇… 기껏
기다렸더니.

뗑
리
리
리
링

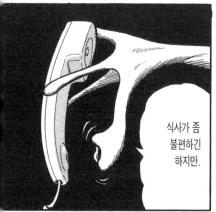

식사가 좀
불편하긴
하지만.

아아.
별 문제 없이
지내고 있어.

상황은 어때?

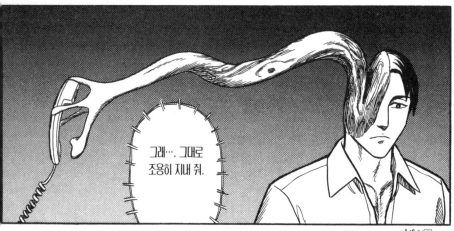

그래…. 그대로
조용히 지내 줘.

그래?
내가 거기에 있었을 때는
몰랐는데….
원인은 알아냈어?

하루 중 몇 시간 정도
이상하게 반응이
약해질 때가 있어.
마치 동면이라도하는
것처럼….

그런데 하
알아낸 게 있어
신이치의 오른손
대해서인다

일단은 그대로
관찰을 계속해.

흠… 그럴
가능성은 낮아.
우리 기생생물의 몸이
인간의 세포에
압도당할 리
없으니까.

…이쪽은
그렇다 치고,
「히로가와」쪽은
괜찮아?

글쎄… 뇌도 장악하지
못한 놈이니,
역으로 인간쪽이
흡수되고 있는 거
아닐까?

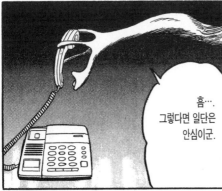

흠….
그렇다면 일단은
안심이군.

문제없어
그「다섯 사람」도
이제 측근으로
가담해 있어

후아―.

우리반의
시마다라는 애야.

뭐?

어?
철가면이다.

지금도 약하다.
왜지?
왜 반응이
약해지는 걸까?

자는 체하고 있어.
속일 수는 없는

이 거리에서 예고없이
강한 신호를 보내면
반사적으로
어떤 반응을 보일 거야.

특히⋯⋯
살의에는!!

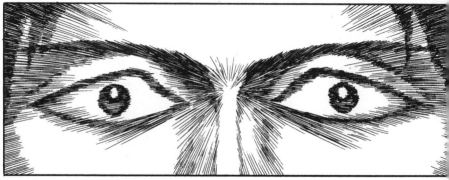

이 정도도
못 넘나,
신이치?
좀더 힘을 내봐!

어쿠.

…너무
둔감하군.

젠장—.
진짜로 힘을 냈다간
세계 신기록이
나온단 말야.

예….
그러죠.

시마다.

웬일로 표정을
다 보이네.

아.

아니,
그저…

나한테
볼일 있어?

……

……

30°

그나저나 시마다
너는 참 이상해.
항상 무표정한 게…

뭐라고?!

만들어 붙인 것
같거든.

네 얼굴은
어쩐지…

......
......

하하하…
미안~.

아, 화났어?

그래도 화가 났으면
좀 화난 듯한 표정을
지어 보라구.

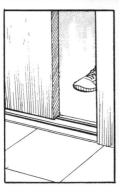

아
하
하
하

그래서
걔가…

조심해야
겠어.

그래서 관찰력이
뛰어난 건가.

그림을
그리는군…

휴—.

그래….

오늘은
일찍 왔네?

어서 와,
오빠.

그만 해요.
이게 무슨
사자춤인가!

와
하
하
하

우왓.

「아귀머리 귀신」
좋아하네….

쳇….

헤ㅡ.
그게 이번 사건의
용의자야?

눈

검칠와

?

……

이게 어떻게
용의자겠어?
이런 괴물이.

그런가?

우왓!!
뭐, 뭘 봐, 유코!

뭣보다 나한테는 너만한 재능이 없어.

그렇지도 않아….

오빠는 사실 경찰 노릇보다는 그림 그리는 게 적성에 맞지 않아?

그런데 오빠.

저기…, 범인의 몽타주를 그리는 게 재미있어?

재미는 무슨.

앙!

찰싹

또 그 소리!

지난번에 그 애의 아버지하고 일 때문에 만났었거든.

그런 게 아니라,

근데?

걔가 무슨 일이라도 저질렀어?

2학년? 글쎄….

아참, 유코! 너희 학교 2학년 중에서 이즈미 신이치라는 학생, 혹시 알아?

뭔데?
친구 얼굴이야?

맞다.
내 데생 좀
봐 줄래?

…….
뭘 말야?

혹시 뭔가
느껴지는 것
없어?

…….

아무리 그래도
그림 한 장 가지곤
알 수 없어.

그 있잖아.
지금까지의
경험에서
뭔가…

스트
라잌

또 저런
곳에…

?!

하교 행렬?
저들 중 누군가를
보고 있는 걸까?

앗!

짜

앙

조심해!!

?!!

......

만들어진
얼굴…?!

마…

저어…
괜찮으세요…?

아아….

제21화 ―끝―

제22화 ──── 균 열

에‥ 이 반에서
서부고는‥.

신이치!

합격!

네?

중딩에서
벗어나고도
달라질 게
없잖냐.

하지만 서부고는
아직도
구식 학생복에
세일러복이라며?

우와ー!

좋겠다.

시끄러, 임마.
전철
두 구간밖에
안 되
편하잖아

신이치.

어…?

평소에는
그렇게
잘 떠들더니.

저기…
왜 그래?

응?

그랬나…

……

……

그 북부고
여자 애한테
붙잡혀서
글쎄…

맞아,
언젠가
여기서…

지난번의 그 일….
그 후로 어떻게
됐나 싶어서.

뭐야…?

보나마나
네가 놈들을
때려
눕혔겠지.

손을 썼나
보군….

그 녀석들은
이제 너하고는
상관 없어!

어서 꺼져!

그…
그런 짓은
안 했어….

…?!

빌어먹을!
언젠가는
저놈을….

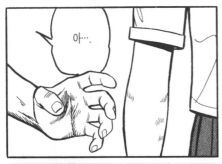

아….

아… 아파.

미, 미안해….

아주 나쁜
놈이야!

X같은 새끼!!
얼굴만
말짱해 가지구!

시마다…?

그 사람은
누구니?

이상해,
신이치.

신이치…

뭐가?

......
....

그런 말을 하니까
신이치 같지 않아.

앞으로는
저기...

그래…?

....

그렇게 억지로
자신을
바꿀 것까진
없잖아.

좀더 터프하고
늠름하게
보이고 싶어서…

안 어울려.

짐승같이
변할 바에는
약한 게 나아.

강해지는 게
싫어?

뭐라고
할까….

신이치,
나…

내가 짐승?
약한 게 낫다고?
…말도 안 돼.

다를지는
몰라도
무리하는 건
아냐.

거짓말!
전과는
전혀
딴판인걸.

신이치가 굉장히
무리하는 것 같아
걱정이 돼.

무리하는 거
아니야.

내 얘기 말고…
요즘 뭐 재미있는
일 없나…?

지금 네 얘기를
하는 중이잖아.
…너 정말로….
신이치…!

…….

그럼 왜 달라졌지?
무리하지 않고
그렇게 변할 수
있어?

시끄러워!!

미안해요….
사람을
잘못 봤군요.

「가슴의
구멍」이야….

「등의 구멍」
이라고도
할 수 있지.

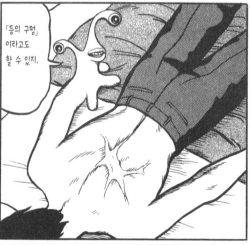

내 생각에 너는
정신적으로
강해졌어.

인간으로서라기보다
생물로서….

쳇.

난 안 그래~.
아무렇게나
둘러대지 마~.

우선 웬만한 일에
동요하지 않고
합리적이며,
실의에 빠져도
회복이 빨라.

보는 관점에 따라서는
네가 많이 변한 듯한
느낌도 들겠지....

...사토미한테는 안됐지만
그 여자도 네 약점이
될 수 있어.

하지만...
시마다한테 약점을 잡히면
곤란한 시점에서
이런 정신적인 강인함은
네게 유리해.

흥...

시마다는 인간들 간의 복잡한 연애감정에 대해
학습이 모자라서 오늘은 눈치를
못 챈 모양이지만...
시마다가 너를 관찰한다고 느껴질 때는 사토미를
멀리하는 게 안전할지도 모른다.

뭐라고?

…그렇게 되는 건가?

오른쪽아, 지금 나를 위로해 준 거냐?

그런가…? 그렇게 생각하면 오늘 일도 좀 위안이 되는군.

하아…. 그래 주면 고맙겠다….

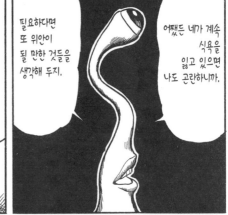

필요하다면 또 위안이 될 만한 것들을 생각해 두지.

어쨌든 네가 계속 식욕을 잃고 있으면 나도 곤란하니까.

응….
머리가 좀
아파서….

어?
학교 안 가니,
유코?

……

나는 괜찮아….
대단치는
않으니까.

그래….
난 오늘 좀
늦을 텐데….

흐음.

저는 3학년 2반
시마이 가츠오의 누나인데요,
어제 학교에서 저희집으로
편지가 두 통 왔어요….
그 중 하나는
시마다 히데오 앞으로
돼 있는데,
같은 반 학생인가요?

여보세요.
서무실이죠?

삐
삑 삑

네… 이쪽에서
보내도록 하죠.
주소를
불러 주시겠어요?
…네…. 네….

슬슬 돌아올
때가 됐는데.

!

여기구나….
혼자 살고 있나…?

......

또 나가?

시내에 나와서
뭘 하려고….

?

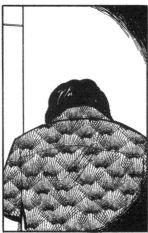

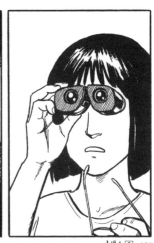

세상에…

!!

완전히
바뀌었어!

얼굴
윤곽까지…

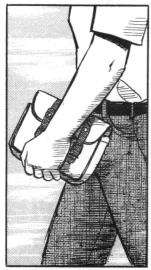

정말이었구나!

보통 사건과는 전혀 다르다고!

오빠는 일 얘기는 거의 해주지 않지만 나도 어렴풋이 느끼고는 있었어….

…설마 상대가 정말 인간이 아니라니…. 도저히 믿기지 않아.

저게 오빠가 싸워야 할 상대라니!

같은 반인데도
아직 아무 일도
안 일어났으니….

어떡하지….
당장 오빠한테 말할까?
…아냐.
먼저 괴물에 대해
더 자세히 알아 봐야지….

암컷이 끌리기 쉬운
패턴은 분명
이런 얼굴일 텐데….

오늘은 좀처럼
안 걸리는군.

……

역시 인간의 기호에는
여러 가지 요소가
복잡하게 얽혀 있나 보군.
…이해할 수가 없어.

머리는 이제 다 나았고?

너도 참 끈질기다ー.

응. 이제 괜찮아.

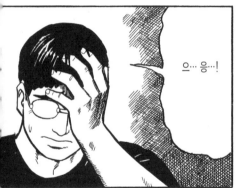

으... 응...!

그보다 그 범인 있잖아….

사실 나도 아직 반신반의 하는 중이라….

뭐, 언젠가는 …공표야 되겠지만,

…….

나도 조심은 하고 다녀야지.

…….

일단 외계인이라는 설에서부터 돌연변이설, 바이러스 감염설, 생물병기라는 설까지 있는데….

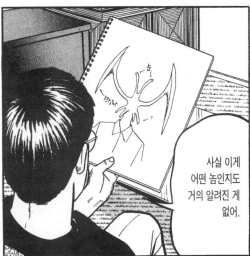

사실 이게 어떤 놈인지도 거의 알려진 게 없어.

이쯤되니 역시 못 믿겠지?

아니….

사람을 잡아먹는다는 것, …이건 거의 확실한 것 같아.

단지 인간처럼 말을 할 수 있다는 것,

…….

아무튼 밤길은 혼자 다니지 말고…. 하긴 인간 전체의 수에 비하면 극히 적은 모양이니 만날 일은 거의 없을 거야.

혹시 짐작가는 게 있니, 유코?

아니! 설마….

…그래. 생포라도 할 수 있다면….

!

만약 그렇다면
희생자가…

정말 사람을
잡아먹을까?

생포라도
할 수 있다면…

……

역시
오빠한테…!

그래도 일단
몸을 지킬
뭔가를…

직접 얘기해 보자!
그래도 말은
통하니까.

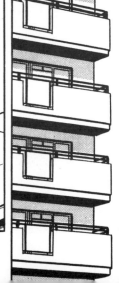

......

경질화한다.
→칼, 총기도
안 먹힌다?

자유자재로
변형한다.
→때려도
소용없다.

과학실

만약을 위해….
어디까지나
만약을 위해서야.

약품…!

흐음….

할 말이 뭔데?

……

시마다….

이렇게
같은 반에 있는데
너를 그런…

봤어.

다른…
우리와 다른 세계의
사람이라고는
생각하기 싫지만…

만약… 만약에
일부 눈치챈 사람들의 말처럼…
인간을 저기…
잡아먹는 생물이라면…

…!

만약 그렇다면…
그냥 돌아가줘.

너는…!

그리고…
더 이상 사람을
죽이지 마….

두 번 다시
학교에
오지 마!

시마다,
너 정말로
사람을…
죽였니?!

어떻게 네가…
네 친구들은
또 누가…?

우앗, 왜 그래!

신이치!

뭐?

하지만 너는!

어떻게 해야 할지
모르겠어!
같은 인간이라면
경찰에 신고하겠지만…

곤란해….
곤란하다….

……,

오빠한테…
역시 오빠한테
먼저 말할걸….

벌건 대낮에!!

미친놈!!

시… 신이치.

그것도
학교 안에서…!

몇층
어디쯤이야?!

어디야!

이봐,
어딜 가나,
신이치!

오른쪽이 녀석,
주목당하니
입을 다물었군.

흐… 아…

!

……

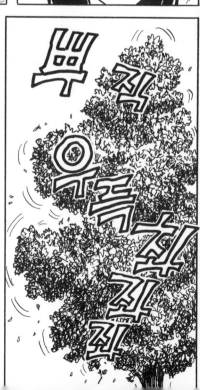

뿌직 우드득 찍 찍 찍

어이!

으으...응...

으...

괜찮아?!
이봐!

이상해!
이게
시마다인가...?

어디로?!

...이동
했다.

D동 쪽에서
소리가 났어!
그놈도 거기에
있겠지?

......

의식이 통일돼 있지 않아...,
아니, 혼란한 상태다.
시마다의 신변에
뭔가 엄청난 일이
일어난 모양이야.

뭐야?!

무슨 일이...?

모르겠는데요.
미술실에서 무슨 일이
있었나봐요.

뭐야
방금 그 소리는

보면 어때요,
선생님.

에─.
너무하다.

알았다.
내가 가볼 테니
너희는 가 봐.

뭐야…. 내가 뭘 한 거지?

!

왜 그래? 무슨 일이 있었나?

뭐야? 너! …머리에 뭘 뒤집어쓴 거냐?

방금 뭔가를 세 개 정도….

왜 그래?

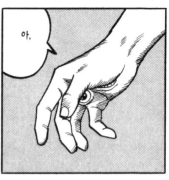

아.

뭘까요?

저기요! 저, 저, 저기!

?!

겨, 겨, 경찰을!!

빠, 빨리요!!

흐이이이익!

으…아악!

아니,
왜 그러십니까?

와하하하하

빨리 빨리!

빠, 빠, 빠, 빠,

당장 운동장으로
피해라!

너, 너희들!

선생님도 복도에서
뛰어다니시네~.
펄펄 나는구만.

뭐야?
소방훈련인가?

지, 지금 해요!

경찰은?!

네!

어서 방송해요!

제가 이 판국에 거짓말하게 됐습니까!!

으힉.

괘양

하지만… 정말입니까?

기다려 봐. 시마다가 내는 신호가 너무 산만해서 거리를 재기 어렵다.

야! 그놈은 대체 어디 있냐니까!!

뭐야?
우리 교실이 있는
건물이잖아.

빠르군….
어느새 B동으로
이동했어.

……,

후아 후아.

다른 층에서
엇갈렸나?

신이치.
이 많은 사람들
앞에서 싸움은
무리다.
우선 저 틈에
섞여
피해야겠어.

하지만…!

엇,
못 지나가겠네.

피난을 할 거면
빨리들
움직일
것이지.

이즈미
신이치!

......

뭘 하다 온 거냐!!
어서 운동장으로
내려가!

쯧

아아…
살인귀 「A」때
말이지?

전에도 이런 적이
있었던 것 같은데.

야… 시마다는
정상이 아니라며?
갑자기 여기로
뛰어들기라도 하면
어쩌지?

정답이다 ....

물론 살인귀 「B」지.

이번엔 뭐라나?

갖다 붙이긴~.

빨리이~!!
뭘 하는 거야!
빨리들 가~!!

야, 3반 담임 괜찮겠냐?

저 인간이 더 위험하겠네.

하하하하.

빨리~!!

아…
사토미다.

저 선생,
혹시 시마다를
본 게 아닐까?

어이,
어서 가라.
신이치.

좋아, 3반!
반대편
계단으로
내려가자.

자자,
어서!

ㅇㅇㅇㅇ…

내일 찾아가, 내일!

책가방은요?

각 반 담임께서는 인원점검이 끝나는 대로 즉시 하교시켜 주십시오.

뭐어—?!

잔소리 마! 차비쯤은 학교에서 내줄 테니!

이래 갖곤 못 가요.

하지만 제 지갑이….

진짜로 살인귀 「B」인가?

…….

이상한 학교야.

사토미의
반이다….

그러고 보니
담임인
야마모토
선생도
아직….

!

교감선생님!
2학년 3반이
아직 한 명도….

시마다 자식,
완전히
미쳤나보군….
하지만
왜 갑자기….

정말
늦는군요.

경찰은
아직입니까?

정말
싸울 거야?

오른쪽이!
시마다의
위치는?

그보다 사토미가 있는 3반은 뭐하느라 꾸물거리는 거지?

이런 사람 죽었으 할수 없

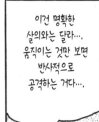

이건 명확한 살의와는 달라…, 움직이는 것만 보면 반사적으로 공격하는 거다….

까 으악 으악

?!

신이치!

3반이다!

신이치 2층인 것 같 지금 10명쯤

이제야 나오는군!

설마…. 없어….

사토미….

미안해요….
사람을
잘못 봤군요.

시끄러워!!

설마…
그럴 리
없어!

그게
마지막
이라니…

그럴 수는…

가르마를···
좌우대칭으로
하는 게 좋겠어···

좌우···?

네가 있어서인지···
왠지 몸 오른쪽 부분이
무거워진 것 같아서.

강철로
돼 있는 게
아니냐···?

혹시 너는
강철로···

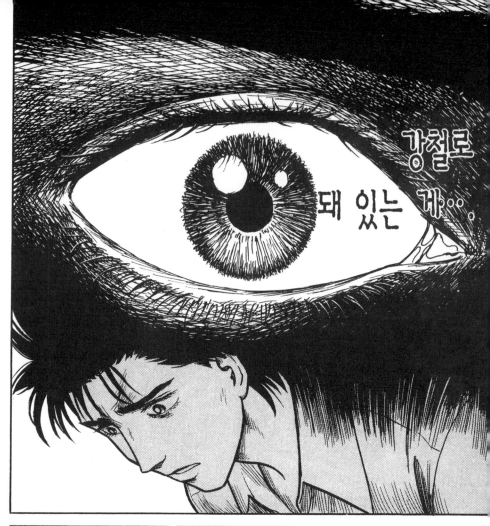

강철로
돼 있는
게‥.

어….
웬만큼….

응…,
아아….

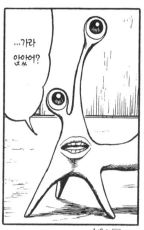

…가라
앉았어?

겨우 수십 초 동안
쉬었을 뿐인데,
마음은 이상하게
착 가라앉아 버렸다.

가라앉았다….

그놈을
잡아야 해…!

하지만
그전에

그 애를…

......

오른쪽아, 시마다와의 거리는?

사토미를 찾으려고?

대략 60m정도... 같은 층인 듯하다...

그래...

......

쉿!

...하지만 살아 있다면 지금쯤은 벌써 밖에...

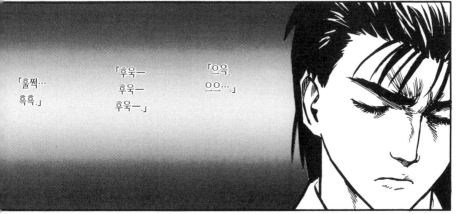

「훌쩍... 흑흑.」

「후욱— 후욱— 후욱—」

「으윽, 으으...」

다섯 명이다!
아직 다섯 명이
남아 있어!

엇, 들렸어?

「.........

「크르르르…」

！

이쪽부터
가자!

…가까운 쪽
세 명 중에는
아마…

멀리에 둘·
이 근처·
셋… 그리
한 마·

굉장한
청력이군!

하지만 이쪽은
확실히 시마다가
있는 방향이다!

그럼 더욱 더
서둘러야지!

신이치!
아까도 말했지만
시마다의 신호가
산만해서
정확한 거리 파악이
어려워!

......

괜찮아?!

으... 으...

안 다쳤어?!

사토미...

와

턱

아아…
흐….

너… 넌 대체 어디에서…?

이제 괜찮아!

괜찮아!

이거 안 되겠군….

설 수 있니?

…러?!
저, 저쪽은….

나는 저쪽에서 왔어. 그리로 나가자.

좋아! 모두 함께 도망가자!

그놈은 없어!

지금은 괜찮아!

으으, 으흐흐흐,

하, 하지만… 저쪽에서 모두 죽….

……

너… 저쪽에서 왔다고…?

뭐…?

시, 싫어!!

!

사람 맞아?

넌,

바보들아! 가지 마!!

으,

으아아아!!

저기다…!!

헉, 헉.

크르르…

우리는 지금
인간사회에서
인간들과 함께
살아갈 길을
모색하고 있거든.

친구가
되고
싶어서.

저놈은
죽일 수밖에
없어!

제기랄.
이게
본성이었군!

쳇… 또 저기를
지나가야 하나.

……

......

허억!
허억!
허억!

시… 신이치…
나… 나는….

......

휴….

알아….
나도 혼란스러우니까….
갑자기 이런 엄청난 일이
일어났으니….

삐
왜
ㅡ
ㅣ
ㅡ
뽀
삐
ㅡ
ㅣ
ㅡ
앵
삐
ㅡ
ㅣ
ㅡ
왱
삐
ㅡ
ㅣ
ㅡ
뽀

저는 괜찮아요.
이 여자 애를
부탁합니다!

이제
걱정할 것
없어.

시…
신이치.

하나 더…
꼭 해치워야
할 일이 있어….

자자,
좀 비켜 주십쇼.

우아아아악!

흐아악!!

세… 세상에
그럴 수가….

뭐?
열 명쯤?!

뭐야?!
걸레가 어떻다고?
그래, 몇 명이야?!

으어억.

알겠나?
허둥대다
동료의 등을
쏘지 않도록!

보아하니 보통 놈이 아니야.
흉기를 지닌데다가
엄청난 괴력의
소유자야.
수상한 자가 보이면
즉시 발포해!

후아….

주임님!
복도 끝에서 뭔가가
움직였습니다!

어이!
현장에다
토하지 마!

우욱…

그래도 싸울
생각이야?

이래서는
못 들어
가겠는걸.

후가각

뭐랄까…
「매듭」을
짓고 싶어.

…우리는 시마다의
정체를 알고 있었어.
…아무리 우연한
돌발사태로 시마다가
저리 됐다 해도….

우리한테도
책임은…
있어.

…또 모를 소리를
하는군….

……

꼼짝 마!
경찰이다!!

이 상황이라면
경찰이 이긴다.
4~5명쯤은
죽을지 몰라도.

경찰에
맡겨.

뭐야?!

간다!

으악!!

조그만 탄환 몇 개를
쏴넣는다고
당장 죽지는 않아.
머리를 잘라내거나 심장을
완전히 파괴하지 않으면...

그래도 언젠가는
힘이 빠져
쓰러지겠지....

빌어먹을!!
이 괴물!!

타 다 딱

좋아!

짐젬

쿠

웅

県警察

와슬 와슬

옥상…

「옥상으로
올라가고 있어?
그런가….
하지만 섣불리
다가가면 안 돼!」

……
……

오른쪽아...
시마다한테
「죄」가
있다고 봐?

죄...?
그거야 인간들이
인간의 잣대로
정하는 거잖아.

......

어떻게?
지금 저 안에
들어갔다간 우리까지
총에 맞을 거야.

역시 우리가
마무리를
지어야
겠어.

돌... 하나로?

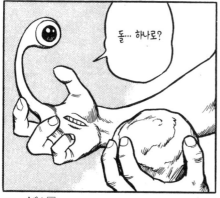

이걸로.

공안과의 다키사와 씨 전화인데요….

박사님.

예. 패러사이트 (기생생물)가 틀림없습니다.

옛? 정말입니까?!

부탁합니다! 저도 당장 현장으로 가죠!

현 상황으로는 어렵겠습니다만 ….

어떻게… 어떻게든 생포할 수 없을까요?!

흐음….

어때, 할 수 있겠어?

시마다에게 들킬 거야.

하지만 300미터쯤 거리를 두지 않으면,

지금의 네 힘에다 내 힘을 완전히 실을 수 있다면 아마도… 가능하겠지.

끄아아악!!

좋아!

뭐 저런 게
다 있어!
대체 몇 발이나
맞아야
죽는 거지?!

기껏 몰아
넣었더니…

헉.

뭐?
생포하라고?!

반장님!

시체를 더
늘리고 싶나?

지금 알 수 있는 것은
죽이지 않는 한,
놈에게 다가갈 수
없다는 것
뿐이야!

네…

한가한 친구들
같으니….

…여기가
좋겠다.

학교에서
약 300m라….

너뿐만이 아니라
타미야-료코며
「A」며…

시마다…

너희들은
대체…,

뭣 때문에
태어난 거지…?

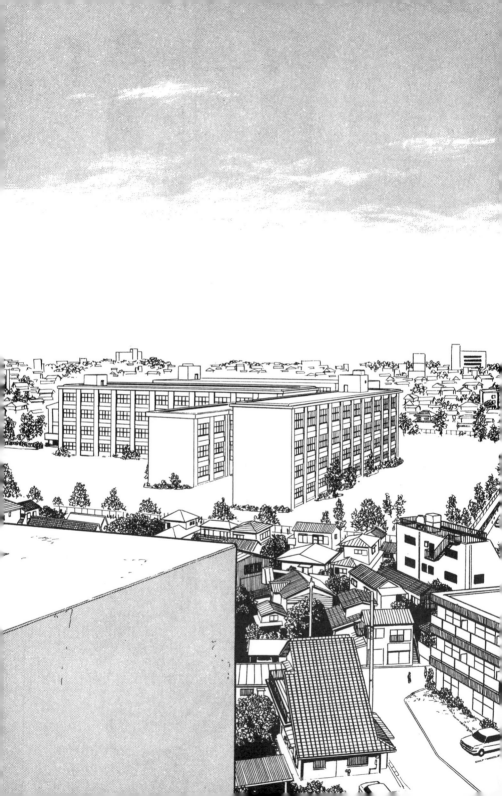

신이치….

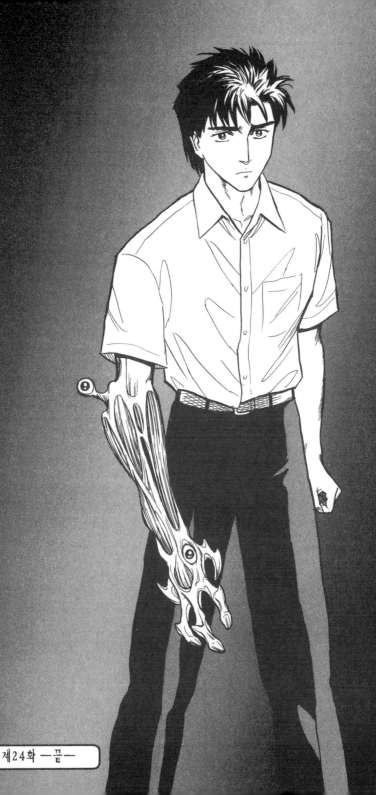

제24화 —끝—

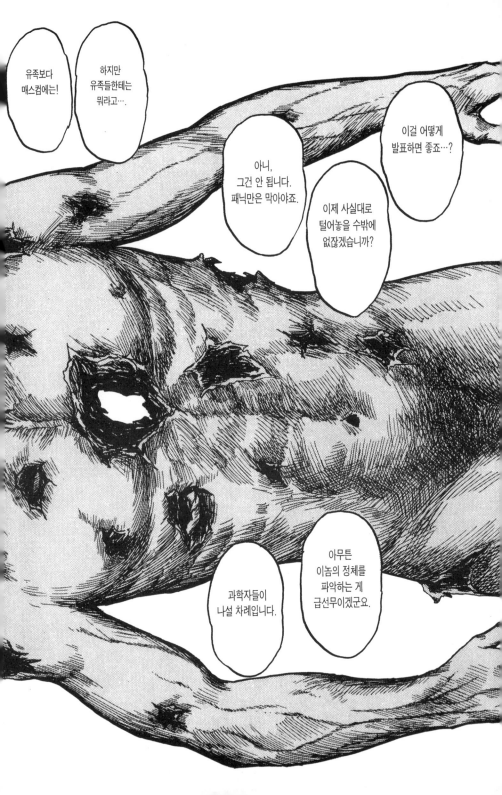

이젠 지겹다. 젠장─.

또 왔네….

잠깐만, 학생 몇 학년이죠?

잠깐만요.

한마디만.

학생, 잠깐만!

……

저는 다른 학년이라서.

몰라요.

「시마다」라는 학생에 대해 묻고 싶은데요.

신이
치…

사토미….

응….

이제…
괜찮아?

그날 다치지 않았니? 그 높은 데서 뛰어내리고….

되도록… 다른 생각을 하자. 그러다 병 나겠어.

네? 네?

고마워…. 신이치가 없었으면 나는….

…나도 사실 놀랐어.

그때는… 그게… 위급한 상황에선 초능력이 나온다잖아?

무슨 얘기죠?

네? 뭐가요?

아, 잠깐만 몇 학년이세요?

그렇구나…. 어쨌든 고마웠어. 정말….

네에… 그렇군요….

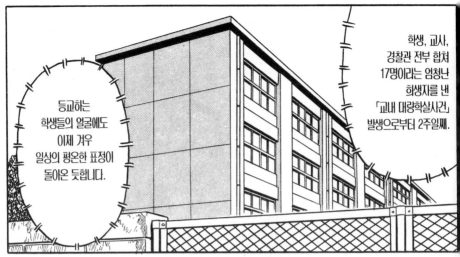

학생, 교사,
경찰관 전부 합쳐
17명이라는 엄청난
희생자를 낸
「교내 대량학살사건」
발생으로부터 2주일째.

등교하는
학생들의 얼굴에도
이제 겨우
일상의 평온한 표정이
돌아온 듯합니다.

사람이
아니었어요
….

괴물
이에요.

그러면 당신
현장에 있었던
학생들의 말을
들어 보죠.

당국에서는 이 사건을
「마약 중독에 빠진 소년이
환각상태에서 저지른 범행」이라고만
발표하고 있으나,
범인의 인상착의에 대해서는
믿기 어려운 증언이
이어지고 있습니다.

괴물이었어요.
정말로….

머리 부분이
이상했어요.

이상한
생물이었어.
…무서워요.

괴물….

그때는 모두 심한 흥분상태였고 정신적인 충격도 컸기 때문에 이성을 잃고 흉기를 휘두르는 범인의 모습이 도저히 인간으로 보이지 않았던 것으로 생각했습니다.

사실, 사건 직후부터 이런 증언들은 있었습니다만 ─물론 학생들의 증언이죠.

이 증언들을 종합해 보면 범인은 인간이 아니라 괴물이라는 얘기가 되는데요.

범인은 정말로 괴물이었던 게 아닌지….

결국?

하지만 2주일이 지난 지금도… 비교적 냉정하게 판단할 수 있을 텐데도 괴물이라는 이야기가 반복되고 있습니다.

해당 경찰서 소속 경찰관들에 대해서는 일절 취재를 금하고 있습니다.

그게….

아니… 그건 또 왜죠?

당시 현장에 있었던 경찰관들은 뭐라고들 합니까?

하하하하. 그야 사살된 시체를 보면 알겠죠. 시체를 일반에 공개하라는 건 아니지만….

그거 이상하군요. …이렇게 큰 사건인데 말입니까?

괴물이고 아니고를 떠나, 제 추측으로는… 접근할 수 없을 정도로 흉폭했다고는 해도 미성년자를 사살한 셈이니 거기에 참여한 경찰관들에 대해 발표를 꺼리는 게 아닌지….

웬만하면 벌써 신원을 밝혔어야 하지 않습니까? 17명이나 죽였는데.

이상한 것은 또 있습니다. 범인인 소년의 신원이 확실치 않아요.

아주머니.

후우… 언제까지 떠들어 댈 건지….

네에—?!

그런데 현재 밝혀진 이름은 실명이 아닌 듯합니다.

잠깐 나갔다 올 테니 집 좀 봐주십시오.

괜찮습니다. 쉬세요.

아, 죄송해요. 일이 거의 끝나서….

방금 텔레비전에 신이치 학생이 잠깐 비쳤는데요.

저기.

예?

다녀오세요.

아, 네.

이래서 아줌마들은 안 된다니까.

나도 참. 이럴 때 무슨 주책이람….

그렇습니까….

하하….

네?

저기, 아까 텔레비전에…

아, 어서 와요.

다녀 왔습니다.

그래요….

제가 나왔어요?

아아….

아뇨….

인간의 입장에서 말하는 것은 내키지 않지만….

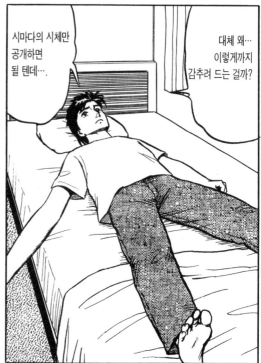

시마다의 시체만 공개하면 될 텐데….

대체 왜… 이렇게까지 감추려 드는 걸까?

뭔데? 말해 봐.

흠.

「인간 이외의 지적 생명체가 있다는 것이 밝혀졌습니다.」

시마다의 시체를 공개한다 치자.

응.

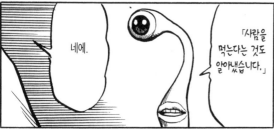

네에.

「사람을 먹는다는 것도 알아냈습니다.」

「기생생물을 잡아라!」

어떻게 되긴. 난리 법석이 나겠지.

그러면 어떻게 될까?

흠….

…….

에….

그런 어떻게 잡지

…어떻게 좀 안 될까…?

나는 나 자신을 보호할 뿐, 「인간」이라는 종족을 지킬 의무는 없어.

그래…! 이제야말로 우리가!

거절이야.

그러니까 우리가 철저히 추적해서…

인간으로 둔갑한 기생생물을 발견해도, 그놈은 이내 다른 모습으로 변신해 버리니, 인간들의 힘으로는 못 잡는다.

죽이자고?

그러니까 동족을 죽여도 딱히 기분이 달라지지는 않아.

신이치, 내게는 인간적인 감정이 없다.

!

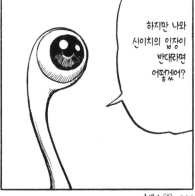

하지만 나와 신이치의 입장이 반대라면 어떻겠어?

이렇게 말하면
고민하지...,

이게 인간이라는
생물이다.

......

......

사살된 시체를
가지고 있는
경찰측의 발표는
여전히 「마약에 중독된
소년의 범행」이었지만,

각 신문과 방송에서는
독자적인 조사와
취재활동을 계속해
범인의 정체를
밝히려 했다.

그러던 중,
범인인 소년에게는
보호자나 신원 보증인
등이 일절 없으며,
「시마다」라는 이름도
실명이 아니라는 것 등이
속속 밝혀졌다.

급기야 미성년인지
아닌지조차 불확실해지자
다시 「교내
대량학살사건의 범인,
시마다 히데오」라고
뚜렷이 보도되기
시작했다.

극히 일부지만
「인간 이외의
생물이다」라고
주장하는 사람도
나타나기 시작했다.

그리고ㅡ.

또한 피해망상이나
인간불신에 의한
자살자까지
생겨났다ㅡ.

사건발생에서 3주일ㅡ.
「인간으로 둔갑한 괴물이
여기저기에 잠입해 있다…」
그런 소문이 난무하는 가운데
「아귀머리 귀신」은 더 이상
웃어넘길 일이 아니게 됐으며, 학교나 직장
이웃 간에도 조금만 눈에 띄는 행동을 보이면
집단폭행이나 따돌림을 당하는
사태가 속출했다.

오히려
좋지 않습니까.
이것은 금세기 최대의
발견입니다!

혼란을 피하기 위해
존재를
감추는 것은
역효과입니다!

이제는
공개해야
합니다.

발표를 한들
소용없습니다.
혼란만 가중될
뿐이지요.

뭣 때문에요?
허위발표를 한
책임 때문에?

하지만
이제 와서….

말도 안 돼!
그쪽도 모를 리
없습니다!

「일본의
만화 열풍도
이쯤되면 할 말이
없다」…는군요.

미국에서는
뭐라고
합니까?

뭐요?

패러사이트를
군사 목적에
이용하려 든다는
소문이 있습니다.

뭐… 놀랄 일도
아니지만요.

아아.
늦으셨군요,
다키사와 씨.

아니오.
그냥 혼란이 저절로
가라앉기를
기다리는 편이….

아무튼 사태를
방관할 수는
없습니다.

예?!

그러면 이쯤에서
발표를 할까요?

흐음….

넌지시 세간에 흘리는 거죠.

인간과 패러사이트를 분간하는 방법만...

공식적인 발표를 하자는 것은 아닙니다.

아니... 발표라고는 해도 패러사이트의 존재에 대해

알아냈습니까?!

그것보다!

아니!

어... 어떻게...?

구분 방법을?!

에헴,
에— 제가 그날 현장에 달려갔을 때, 패러사이트의 세포는 거의 사멸한 상태였습니다만—.

그러면 여기서 해부·분석을 지휘하신 유이 박사님의 설명을 듣도록 하죠.

…….

아마 세계를 뒤흔들게 될 것이며, 협력해 주신 경찰청 및….

박사님, 박사님.

시체라고는 해도, 이것을 손에 넣은 우리 연구진들에 의해 학회에서 행해질 이 패러사이트에 관한 발표는,

그 생물의 생명구조, 특성 등을 아는 데에는 더없이 좋은 샘플이었습니다.

가급적 알기 쉽게 부탁드립니다.

예…

어험, 실례했습니다. 그러면 패러사이트의 생명구조에 대해 해명된 부분을 말씀드리죠.

인사는 됐으니 본론을 말씀하시죠.

허어…

실로 놀랄 만한 생명형태입니다.
이 기생생명체는 인간의 머릿부분,
즉 전신의 사령탑 역할을 100% 아니,
150% 수행하는 능력을 갖고 있습니다.

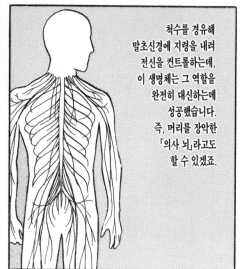

척수를 경유해
말초신경에 지령을 내려
전신을 컨트롤하는데,
이 생명체는 그 역할을
완전히 대신하는데
성공했습니다.
즉, 머리를 장악한
「의사 뇌」라고도
할 수 있겠죠.

여러분도
아시다시피 뇌는
약 140억 개의
세포로 구성되며,

세포 자체의
성질은 인간의
뇌세포와
흡사합니다.

그런 걸 내가
어떻게 알아?

바로
그겁니다!

한마디로
표현하면
「생각하는
근육」!

즉,
여기서부터가
가장 특이한
부분인데요.

그러나
뇌세포와
다른 점ㅡ.

생각하는 근육이라….

허ㅡ.

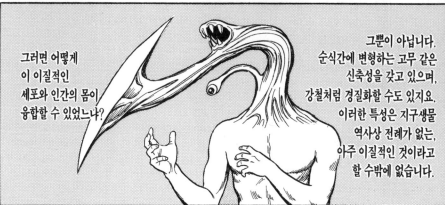

그러면 어떻게 이 이질적인 세포와 인간의 몸이 융합할 수 있었느냐?

그뿐이 아닙니다. 순식간에 변형하는 고무 같은 신축성을 갖고 있으며, 강철처럼 경질화할 수도 있지요. 이러한 특성은 지구생물 역사상 전례가 없는, 아주 이질적인 것이라고 할 수밖에 없습니다.

잘 알긴 뭘 알아?

여기서 여러분이 잘 아시는 생명공학을 기반으로 설명드리겠습니다.

…….

빡 빡

자연현상

「유전자 조합」이라는 단어는 생명공학이 한창 발전하고 있는 요즘에는 다방면에서 쓰이고 있는데, 이것은 바이러스의 세계나 파아지 등을 보시면 잘 알다시피 자연계에서는 극히 일상적으로 행해지고 있는 일입니다.

※ 파아지＝박테리오파아지. 세균을 감염시켜 균을 녹이면서 증식하는 바이러스 일종.

모른다니까.

생명공학의 규범은 이 같은 자연현상에서 왔다는 것을 여러분도 잘 아시겠지만―,

세포융합을 일으킨 것입니다!!

정말 믿기 어렵습니다! 「순간」이라 해도 좋을 만큼 빠른…

즉, 세포융합이라고 생각하시면 알기 쉬울 텐데.

이 생명체가 자신의 본능에 따라 지극히 자연스럽게 부린 재주는 더욱 놀랍습니다.

아아~ 그러십니까~

흠….

그런 자세한 것은 나중에 학회에서 말씀하시고, 우선은 패러사이트를 분간하는 방법부터 알려주시죠.

맞아요, 맞아.

더 알기 쉽게 말하자면 폴리에틸렌 글리콜 같은 물질에 의해 세포막을 변화시켰다고 볼 수 있는데 그 속도가 자그마치….

박사…, 저, 박사님?

앞서도 말씀드렸듯이 그들은
「생각하는 근육」입니다.
혈액에서 양분을 얻어 살아가죠.
그리고 어느 정도의 양이 모이면
인간 정도의 지능을 갖게 됩니다.
…그러나,

어험,
그러면…

쳇…
이제부터가
본론인데…

음….

그 어느 정도의 양이
모이지 않으면
어떻게 될까요?
즉, 작게 잘려나간 경우
그 파편은…?

하지만 그 파편을
더욱 작게…
즉, 머리카락만하게 자르면
어찌 될까요?

물론 혈액이
공급되지 않으면
세포는 말라 죽습니다.
따라서 그 파편은
큰 부분으로
되돌아가려고
노력할 것입니다.

머리카락만한
패러사이트의
세포 역시
살아 있기 때문에,
살려고 발버둥칠
겁니다.

…!

본체를 찾아 원래대로 되돌아갈 만한 지능은 없을 겁니다.

하지만 너무 작아서…

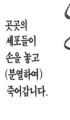

곳곳의 세포들이 손을 놓고 (분열하여) 죽어갑니다.

인간으로 위장한 패러사이트의 머리카락을 뽑으면 몇 초간 꿈틀거리다 말라 비틀어져

인간의 머리카락은 뽑아도 이대로 가만히 있지만…

오오오!

즉, 패러사이트를 분간하는 방법은, 그놈의 머리카락을 뽑아보는 것입니다.

과연 박사님이시군요!

요는 세포를 머리카락만큼 본체에서 떼어내는 것이니까요.

하하… 가발이라면 털을 뽑을 때 주의하면 알 수 있겠죠. 의심스러우면 눈썹이나 코털도 괜찮습니다.

또는 대머리로 위장하면…?

하지만… 가발을 쓰고 있으면 어쩌죠?

예?

이 방에서 나가실 때 머리카락을 한 올씩 뽑아주시기 바랍니다.

대단히 죄송 합니다만…

자… 그럼 여러분.

……

확률은 낮지만, 이 안에도… 없다는 보장은 없으니까요.

그러나 이 무렵부터
인간 불신 등의
혼란은 가라앉았고,
표면적으로 이전의 평온을
되찾기 시작했다.

사건으로부터 한 달—
경찰…이라기보다
정부는 끝내 기생생물의
존재에 대해
공식발표를 하지 않았다.
시마다는 어디까지나
마약 중독으로 환각상태에 빠진
인간이었다.

얏.

에잇!

어머,
기요미 아나?

어머나.
오랜만이다.

가위로 잘라~.
대머리 되겠다.

하지 마~.

그러나 항간에서는
오랜만에 만나는 사람들끼리
대뜸 서로의 머리카락을
뽑아보는 묘한 인사법이
유행하고 있었다.

제 4 권에 계속

HITOSHI IWAAKI

③ 寄生獣

寄生獸

3

스페셜-003

2003년 7월 25일 초판발행
2024년 2월 29일 27쇄발행

저 자: Hitoshi Iwaaki
번 역: 서현아
발 행 인: 정동훈
편 집 인: 여영아
편집책임: 이진경
편집담당: 백유진
발 행 처: (주)학산문화사

서울특별시 동작구 상도로 282 학산빌딩
편집부: 828-8973 FAX: 816-6471
영업부: 828-8986
1995년 7월 1일 등록 제3-632호
http://www.haksanpub.co.kr

개정판 ISBN 979-11-348-7200-7 07650
　　　　ISBN 979-11-348-1789-3(세트)

값 9,000원